这本图画书送给：

· · · · · · · · · · · · · · · · · ·

献给桑姆和他的莫莫，赐予你们爱、欢乐、回忆、希望和舒适。——安·鲍威尔
圣诞快乐，弗朗塞斯卡和伊莎贝尔，爱你们的爸爸。——拉塞尔·朱利安

著作权合同登记号：图字 01-2010-6780

Pocket's Christmas Wish

Text copyright© Ann Bonwill 2009

Illustrations copyright© Russell Julian 2009

"Pocket's Christmas Wish" was originally published in English in 2009.

This translation is published by arrangement with Oxford University Press.

The Simplified Chinese translation was published in 2011 by Modern Education Press.

All rights reserved.

图书在版编目（CIP）数据

小兔子的圣诞愿望 / （美）鲍威尔著；（英）朱利安绘；闫颖文译.
-- 北京：现代教育出版社，2011.1
书名原文:Pocket's Christmas Wish
ISBN 978-7-5106-0457-7

Ⅰ.①小… Ⅱ.①鲍… ②朱… ③闫… Ⅲ.①图画故事－英国－现代
Ⅳ.①I561.85

中国版本图书馆CIP数据核字(2010)第220073号

书　　　名　小兔子的圣诞愿望
丛　书　名　牛津经典童书系列

作　　　者　【美】安·鲍威尔
插　　　图　【英】拉塞尔·朱利安
译　　　者　闫颖文
出版发行　现代教育出版社
地　　　址　北京市朝阳区安华里504号E座　　　邮　　编　100011
电　　　话　（010）64246373　　　传　　真　（010）64251256

出 品 人　宋一夫
总 策 划　李　静
责任编辑　于　露
封面设计　丁　磊
印　　　刷　北京华联印刷有限公司
开　　　本　889×1194mm　1/16
印　　　张　2　　　　　　字　　数　5千字
版　　　次　2011年1月第1版　　印　　次　2011年1月第1次印刷

书　　　号　ISBN 978-7-5106-0457-7
定　　　价　13.50元

小兔子的圣诞愿望

【美】 安·鲍威尔　文

【英】 拉塞尔·朱利安　图

闫颖文　译

中国出版集团　现代教育出版社

圣诞节的清晨，在洞穴外面，
五只小兔子碰到了雪天使。

其中四只小兔子跳着去冰湖滑冰，
但是小口袋，中间最小的兔子，停了下来。
他有个问题想问。

"对不起，"小口袋说，"你能告诉我圣诞节的意义吗?"
但是，雪天使没有回答。

小口袋皱了皱小鼻子，
抽了抽小耳朵，动了动小胡须。
雪天使在金黄色的光线下闪闪发光，
但她依旧没有回答。

一串脚印沿着雪天使的裙子向远处延伸，
一直到小口袋能看到的尽头。

"我希望我能知道圣诞节的意义，" 小口袋想，
"也许我追寻着雪天使的足迹，
最终会找到答案。"

然后他蹦蹦跳跳地走了。

脚印在冰湖的边缘蜿蜿蜒蜒。
小口袋停下来，
看着他的兄弟姐妹们在冰上旋转、滑行。

在他们的微笑中，小口袋感受到了爱和温暖。
但是，雪天使的脚印在冰湖边没有停止，
所以，小口袋继续往前跳。

小口袋跟随脚印来到了一棵冬青树下，
　　那里有一只小鸟正在树枝上鸣唱。
小口袋从那愉悦的歌声中听出了快乐。

但是，脚印曲曲折折地绕过冬青树，
所以小口袋跟着继续往前跳。

小口袋来到森林中的一块空地，
那里的空气因为即将到来的雪的气息而变得浓重。
小口袋吸吸空气，他能闻到冬天的记忆。
但是，脚印围着空地绕个圈，
然后踮着脚到了空地的另一边。

小口袋还是想知道圣诞节的意义，
所以他继续往前跳。

小口袋追随脚印来到一棵倒了的树旁。

这时，天空开始下雪了。

他用粉红的舌头接到了正在飞舞的雪花。

它们尝起来很新鲜，

似乎预示着一些新事物的到来。

但是脚印在树旁依旧没有停止，

所以，小口袋继续向前跳。

小口袋路过一棵高高大结实的松树，于是他就躲在松枝下躲躲他的小脚。

松枝被着看起来像软软的地毯，如同在家里一样舒适。

他希望能停下来休息一会儿，但是脚印没有休息，

所以小口袋仍要继续前进。

湿乎乎的雪粘在他的鼻子、耳朵上，
黏住他的胡须。小口袋又冷又饿。
但是，他想吃的小草已被厚厚的雪覆盖了。
小口袋仍想知道，
怎样才能找到圣诞节的意义。

他继续艰难前行，
越过高山、穿过河流，
一直来到一座有着暗红色门的小木屋前，
脚印停止了。

小口袋透过小市屋的窗户往里看，
他看到三个孩子围在一棵
挂满闪亮小灯的树旁。

他听到欢乐的笑声，
闻到市柴燃烧散发出来的味道，
甚至尝到了从窗缝中飘出来的淡淡的肉桂香味。
这时，
小口袋感觉脚下的雪不那么冷了。

突然，暗红色的门开了，
仅仅一闪，一根胖胖的、橘黄色的胡萝卜
出现在了小口袋的面前。
小口袋馋得口水直流，马上跳向胡萝卜，
就在他开始大吃的时候，
一只小老鼠从雪橇下面冲了出来。

小老鼠看起来很冷又很饿。
他瞪着圆圆的眼睛
可怜巴巴地望着小口袋。

当小口袋和小老鼠一起分享胡萝卜的时候，
小口袋终于明白了圣诞节的意义——
给予。
他的愿望成真了！

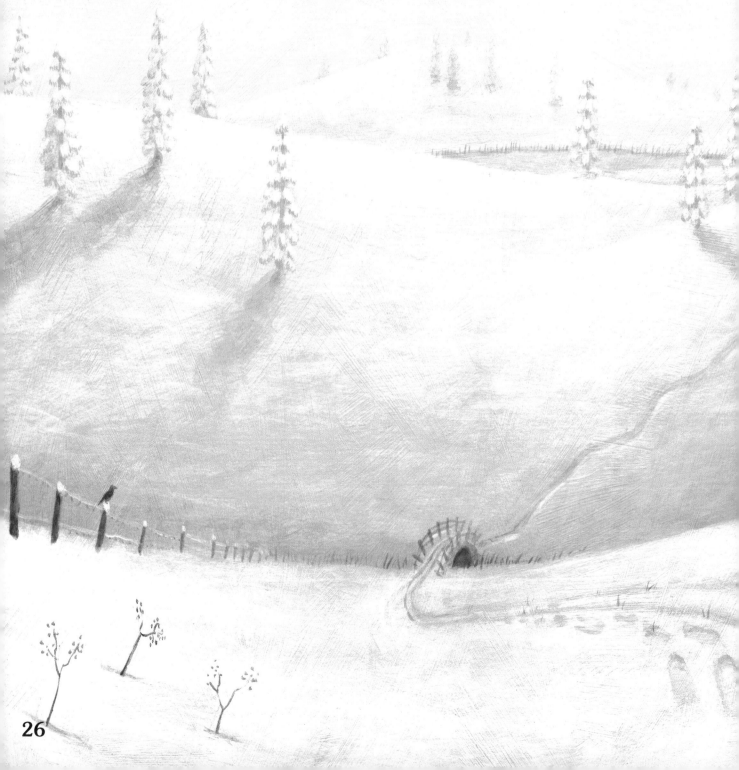

小口袋蹦蹦跳跳地回家了，

心中充满了

爱、

快乐、

美好的回忆、

希望和舒适，

这些就是圣诞节的礼物。

当小口袋到达冰湖的时候，
他的兄弟姐妹刚离开冰面。
他们见到小口袋，
就摇着尾巴，
扑扑地跺着脚。

"圣诞节快乐！"

小口袋边说，边追着他们回到了灌木丛。

然后，就这样了。